Pepito cuenta los mejores chistes para niños

Pepito cuenta los mejores chistes para niños

Editorial Época, S.A. de C.V.
Emperadores núm. 185
Col. Portales
C. P. 03300 México, D.F.

1ra. edición, noviembre 2009

© *Pepito cuenta los mejores chistes para niños*
Alberto Hernández Torres

© Derechos reservados 2009
© Editorial Época, S. A. de C. V.
Emperadores núm. 185, Col. Portales
C.P. 03300-México, D.F.
email: edesa2004@prodigy.net.mx
www.editorial-epoca.com.mx
Tels: 56-04-90-46
      56-04-90-72

Diseño de portada: Adriana Velázquez Cruz
Formación tipográfica: Ana M. Hdez. A.

ISBN: 970-627-801-X
ISBN: 978-970-627-801-2

Impreso en México — *Printed in Mexico*

Introducción

Algo muy importante en la educación de nuestros hijos es fomentar, desde ahora, su sentido del humor, que más tarde en la vida les ayudará a afrontar con calma las crisis y los problemas, y a contemplar siempre el lado bueno de las cosas. Esta selecta selección de chistes, graciosos, blancos, inocentes e ingeniosos, hará las delicias de los pequeños, y les enseñará a reír y a encontrar la gracia y el buen humor en cualquier situación. Y a usted como adulto, le ayudará también a pasar un buen rato y, ¿por qué no?, incluso a animar las reuniones familiares, integrando a los más pequeños. Porque todos siempre somos un poco niños, y nos gusta descubrir el lado divertido de las cosas. En este libro hemos seleccionado una serie de los mejores chistes del inigualable Pepito, quien se ha convertido con el tiempo en el personaje favorito de los humoristas profesionales y público en general; con esta obra usted no podrá dejar de reír a carcajadas.

Los editores.

Un día la mamá de Pepito y Raulito ya se había enfadado de las travesuras de los dos, así que va con el padre de la iglesia para ver si la podía ayudar a controlar a sus hijos. Entonces le dijo el padre:

—Está bien, mándemelos; pero primero me manda a uno y luego al otro.

Al rato llega Pepito con el padre, y el padre le pregunta:

—Pepito, ¿dónde está Dios?

Pepito no contesta, y le vuelve a preguntar:

—¿Dónde está Dios?

Y tampoco contesta. Después de preguntarle varias veces, sigue sin contestar.

Le vuelve a preguntar pero con voz más fuerte, y sigue sin contestar. Entonces Pepito sale corriendo a su casa, se esconde en un ropero, lo ve su hermano y le pregunta:

—¿Qué tienes hermanito?

—Es que se perdió Dios y nos están echando la culpa.

Llega Pepito de la escuela, y le pregunta a su mamá:

—¡Mamá, mamá!, ¿qué significa re, antes de cualquier palabra?

—Pues mira, como re-fuerte, que es muy fuerte, re-solo, que está muy solo...

Y así se la pasó dándole ejemplos, y luego le pregunta:

—¿Y por qué?

Y Pepito contesta:

—¡Ah!, no, por nada, es que en mi boleta decía: re-probado.

Pepito a su papá:

—Papá, hoy en la práctica de futbol, el entrenador me dijo que yo era promesa de gol.

—¡Qué bien! —contesta el orgulloso padre—. ¿Y de qué jugaste?

—De portero...

Estaba Pepito en la escuela, y la maestra le pregunta:

Pepito, ¿cuánto es 4 + 4?

—Este... no sé. Debe ser 9, ¿o no?

—Mal Pepito. Y ahora tienes 9 días fuera del colegio.

—A ver Juanito, ¿cuánto es 10 + 5?

—Quince señorita.

Y la maestra responde:

—Muy bien Juanito. Por haber contestado bien tienes 15 días de vacaciones.

De pronto la maestra notó que Pepito reía sin parar, y le preguntó:

—¿Por qué ríes tanto?

—Es que Juanito es tonto maestra.

—¿Por qué si él contestó correctamente?

—Es que si hubiera contestado 365, ¡se hubiera ganado todo un año de vacaciones!

En la clase de lenguaje, la maestra le hace una pregunta a Pepito:

—Pepito, si digo "Yo robo" y lo conjugo al presente, ¿cuál es el presente?

Pues la cárcel.

Dice Pepito:

—¡Mamá, mamá!, ya no voy a jugar con Juanito al rompecabezas.

Y le dice su mamá:

—¿Por qué Pepito?

Porque cuando le doy con el martillo siempre sale llorando.

Primer acto: Un elefante tocando la guitarra eléctrica.

Segundo acto: Un hipopótamo tocando la batería.

Tercer acto: Un rinoceronte cantando rock. ¿Cómo se llama la obra?

Rock pesado.

Estaba el papá de Pepito leyendo el periódico, y llega Pepito diciendo:

—Oye papá, ¿los marcianos son amigos o enemigos?

El papá le dice:

—¿Por qué lo preguntas?

—Es que se acaban de llevar a mi abuelita. Y le dice el papá:

—Entonces son amigos.

La mamá de Pepito tiene que ir al mercado, pero antes de salir advierte a su hijo:

—Pepito, no puedes invitar a nadie a la casa mientras yo no esté.

Y contesta Pepito: —No mamá.

La mamá se va al mercado, y Pepito le habla a un amigo que se llama Jesús para que vaya a su casa.

Cuando llega la mamá le dice a Pepito:

—No invitaste a nadie, ¿verdad?

—No mamá.

—Jesús te está viendo desde arriba —dice la mamá para cerciorarse que Pepito dice la verdad.

Entonces Pepito dice:

—¡Ya baja Jesús, que ya te descubrieron!

Pepito le grita a su papá:

—¡Papá, los zancudos no me dejan dormir, me están picando!

A lo que el padre responde:

—Bueno hijo, apaga la luz y duerme.

Pepito apaga la luz y cuando de pronto entra en su habitación una luciérnaga, el niño grita de nuevo:

—¡Papá, ahora me están buscando con una linterna!

—Pepito, ¿por qué tan tarde?

—Por el señalamiento en la calle.

—¿Cuál señalamiento?

—El que dice: "Escuela adelante, vaya despacio".

¿Por qué en la Argentina nunca van a sufrir con los terremotos?

Porque ni la Tierra los traga.

Le preguntan a Pepito:

—¿Qué hacía Robin Hood?

—Robaba a los ricos.

—¿Y por qué?

—Porque a los pobres no les podía quitar nada.

Viene la maestra, y le dice a los alumnos:

—Resuelvan este problema de matemáticas: En una granja hay cinco cochinitos y se escapan dos. ¿Cuántos quedan?

—Todos los alumnos gritan sus respuestas: 10, 5, 8, 7, 4...

Como Pepito estaba en silencio, la maestra le dice:

—Y tú Pepito. ¿Cuántos cochinitos quedan?

Pepito se queda pensando un momento y dice:

—¡Ninguno!

A lo que la profesora pregunta:

—¿Por qué ninguno?

—¡Usted cree que van a ser tan tontos. Si se escapan dos, se salen todos!

Estaba Pepito en un parque. En eso ve pasar a Juanito por ahí y le dice:

Juanito, ven a ver lo que estoy haciendo y Juanito va y le pregunta:

—¿Qué es lo que estás haciendo? Y Pepito responde:

—Le estoy escribiendo una carta a Inés.

—Pero si tú todavía no sabes escribir. Y Pepito le responde:

—No le hace, al cabo que Inés tampoco sabe leer.

La maestra está dando la clase de geología:

—A ver Pepito, ¿qué es esto?

Pero Pepito (obviamente) no sabe, y tímidamente lanza una acertada especulación:

—Una piedra.

Un compañero nota la congoja del niño, se compadece e intenta soplarle la respuesta:

—Basalto.

—¡Una piedra!

Llega Pepito, y le pregunta a su mamá:

—Mamá, ¿cómo nacen los bebés?

A lo que la mamá le contesta:

—Mira Pepito: primero sale la cabeza, después salen los brazos, más adelante sale el cuerpecito, y al final los pies.

Y Pepito responde:

—¡Ahhh! ¿Y luego los arman?

Pepito a su mamá:

—Mamá, en la escuela me dicen cabezón.

—No les hagas caso m'ijo, y vete al mercado a traerme 10 kilos de tomates.

—Dame una bolsa, 'ma.

—Tráelos en la gorra, como siempre.

La mamá reprende a Pepito:

—¿Por qué le diste un tabicazo al señor Juan? Me hubieras hablado a mí.

—Uy mamá, tú tienes muy mala puntería.

Fidel Castro y Pepito están sobrevolando La Habana en helicóptero, y entonces Fidel dice:

—Pepito, voy a tirar un billete de veinte pesos al aire, y así haré feliz a un cubano. Entonces Pepito le contesta:

—¿Y por qué no tiras dos billetes de diez pesos, y así haces feliz a dos cubanos?

—Pues es una buena idea, pero se me ha ocurrido una todavía mejor: voy a tirar cuatro billetes de cinco pesos, y así haré feliz a cuatro cubanos.

Pepito se harta y responde:

—Mi idea es la mejor de todas: ¿por qué no haces felices a todos los cubanos y te tiras tú de una vez?

Pepito estaba en el salón de clase con sus compañeros. Como la profesora no llegaba, todos los alumnos comenzaron a hacer alboroto. Cuando ésta llegó vio el desorden que había y comenzó a interrogar a los niños. Juanita, ¿qué has hecho tú?

—Yo dibujé en la pizarra.

—Pedrito, y tú, ¿qué hiciste? Yo tiré mi pupitre contra el suelo.

—Pepito, y tú, ¿qué hiciste?

—Yo tiré serpentina por la ventana.

—¡Caramba! Aprendan de Pepito que no es un malcriado como ustedes.

Pero al pasar unos minutos tocan la puerta de la clase y entra una niña toda golpeada. La profesora le pregunta:

—¿Quién eres?

—Yo me llamo Serpentina.

—¡Señor Jesús, sabes que me he portado muy bien, y quiero que me mandes el muñeco de acción que vi en la tele!

La madre, que desde su habitación lo ha escuchado, le dice:

—Pepito no hace falta que grites tan fuerte que el Señor Jesús no está sordo.

—Él no mamá, pero mi abuelo sí.

El profesor le dice a Pepito:

—Pepito, háblame de Mercurio.

—Bueno...., pues... era el dios de los termómetros.

Pepito le pregunta a la maestra:

—Maestra, ¿a qué edad se muere un burro?

Y la maestra le contesta:

—¿Por qué Pepito? ¿Ya te sientes muy mal?

La maestra le pregunta a un amigo de Pepito:

—A ver Jaimito: ¿cuánto es 2 + 2? Y Jaimito dice:

—Cuatro, maestra.

—Muy bien Jaimito —dice la maestra. Ahora la maestra le pregunta a Pepito:

—A ver Pepito, contéstame con rapidez: ¿cuánto es 3 + 3?

Y Pepito dice:

—Cinco, maestra.

—Muy mal Pepito. La respuesta es 6. Y Pepito dice:

—Maestra, usted me pidió rapidez no precisión.

Primer acto: Un ganso llamando a su esposa.

Segundo acto: Un ganso llamando a su esposa.

Tercer acto: Un ganso llamando a su esposa.

¿Cómo se llama la obra?

Venganza.

Pepito estaba andando en bicicleta cuando pasa frente de la iglesia. En eso lo alcanza a ver el cura del barrio, y le dice:

—Ven Pepito, hace mucho que no vienes a la iglesia, vamos a rezar un "Padre Nuestro". Pepito, con cara de preocupación, le contesta:

—No padre, no puedo. Me van a robar la bicicleta.

El padre lo toma de la mano y le dice:

—Pasa hijo, el Espíritu Santo te cuidará la bicicleta.

Una vez terminado el "Padre Nuestro", Pepito dice:

—En el nombre del Padre, del Hijo, amén. El cura lo mira y le dice:

—No Pepito, ¿ya te has olvidado de orar? A ver, repítelo de nuevo.

—En el nombre del Padre, del Hijo, amén.

—No —dice desesperado el cura al ver que Pepito insistía con lo mismo.

—Dices: en el nombre del Padre, del Hijo, amén... ¿y el Espíritu Santo?

A lo que Pepito lo mira intrigado y responde:

—¿Ya se olvidó que me está cuidando la bicicleta?

El papá le pregunta a Pepito:

—¿Por qué guardaste el periódico de la mañana en el refrigerador?

—¡Ay papá!, para que leas las noticias más frescas.

Primer acto: Una banana no acepta plata.
Segundo acto: Una banana no acepta plata.
Tercer acto: Una banana no acepta plata.
¿Cómo se llama la obra?
¡Plata-no!

Llega Pepito del campamento con dos bolsas de ropa sucia, a lo que su mamá le dice:

—¡Pepito, me va a tomar todo un día lavar toda esa ropa!

A lo que Pepito le contestó:

—¡Mami, a mí me tomó una semana para ensuciarla!

Era una vez el cumpleaños de la maestra. Llega el hijo del carpintero y le regala a la maestra un cajón para pinturas, llega el hijo del dueño de la tienda de artesanías y le regala un jarrón, y llega Pepito que era el hijo del dueño de la licorería con una caja, la cual escurría por la parte inferior, cae una gota y antes de que tocara el suelo, la maestra mete el dedo y se lo lleva a la boca diciendo:

—¿Es cognac?

—No.

—¿Es champagne?

—No.

—Y entonces, ¿qué es?

—Un perrito.

Pepito compró unos bombones y se los comió todos en un minuto.

Su hermana lo amonestó:

—Te comiste todos los bombones sin acordarte de mí.

—¡Claro que me acordé, por eso me los comí tan de prisa!

Pepito le dice a su padre:

—Papá, ¿te gusta la fruta asada?

—Sí hijo, me gusta mucho.

—Pues estás de suerte, porque el huerto se está quemando.

Llega Pepito a la escuela, y le dice a Jorgito:
—¿Eres listo?
Jorgito responde:
—Sí.
—Entonces, ¿qué come la vaca?
Jorgito responde:
—Pasto.
—¿Qué comen los perros?
—Croquetas.
—¿Y qué comen los pájaros?
—Alpiste.
—Bien. Sí eres listo, dime: ¿qué te pregunté primero?
Jorgito responde:
—¿Qué comen las vacas? Pepito dice:
—No, no es cierto. Yo te pregunté que si eras listo.

Pepito va con su papá, y le dice:

—Papá, cuando sea grande me gustaría ser como tú.

El padre todo orgulloso le dice:

—¿Para qué? ¿Para ser tan grande e importante como yo?

Pepito le responde:

—¡Claro que no papá! Quisiera ser como tú para tener un hijo como yo.

Maestro:

—Pepito: si tienes cuatro naranjas y te comes una. ¿Cuántas te quedan?

Pepito:

—No sé. Maestro:

—¿No sabes? Pepito:

—¡No, es que yo me lo sabía pero con manzanas!

Llega la abuela de Pepito de la estética con el cabello corto, corto pero contenta. La ve Pepito y le dice:

—Qué bien abuela, así ya no pareces una señora vieja.

La abuela emocionada y sonrojada le dice:

—Y ahora, ¿qué parezco Pepito?

—Ahora pareces un señor viejo.

Primer acto: El diablo va al baño.

Segundo acto: El diablo va al baño.

Tercer acto: El diablo va al baño.

¿Cómo se llama la obra?

El diablo anda suelto.

Llega Pepito de la escuela después de haber presentado sus exámenes finales, y el papá le pregunta:

—A ver Pepito, ¿cómo te fue en los exámenes?

—Papi, los maestros que me evaluaron eran muy religiosos.

—¿Por qué Pepito? —pregunta el papá.

—Porque cuando calificaban el examen solamente exclamaban: "¡Ay Dios mío!", "¡Santísimo!", "¡Madre de Dios!"

La madre de Pepito le dice:

—Ten mucho cuidado en la milicia. Cuando te pregunten la edad, dices 20, y cuando te pregunten el nombre, di José, y en lo demás respondes: ¡Señor!, ¡sí señor!

Cuando llega a la milicia le pregunta el general:

—¿Nombre? Le responde:

—Veinte.

—¿Edad?

Le responde:

—José.

El general le dice:

—¿Usted cree que yo soy tonto? Le responde:

—¡Señor!, ¡sí señor!

Se abre el telón y se ve una mona comiéndose un plátano.

Se cierra el telón.

Se abre el telón y se ve a la pobre mona hecha una piltrafa, después de que una aplanadora le ha pasado por encima.

Se cierra el telón. ¿Cómo se llama la obra?

La Mona Lisa.

Un día Pepito le dice a su tía:

—¡Fea!

Entonces el papá le dice a Pepito que no le debe decir así a los mayores, y mucho menos a su tía.

—Anda Pepito y dile a tu tía que lo sientes.

Y él muy obediente fue donde su tía, y le dijo:

—Tía, lamento que seas fea.

Pepito está molestando a las niñas tirándoles polvo de yeso. La maestra lo sorprende y con una mano escondida atrás le pregunta:

—Pepito, ¿por qué no te atreves a echarme polvo a mí?

—Pues... porque usted tiene la regla...

Pepito visita a su abuelita, y le dice: Abuelita, ¡qué orejas tan grandes tienes!

—¡Son para oírte mejor, Pepito!

—Abuelita, ¡qué ojos tan grandes tienes!

—¡Son para verte mejor, hijo!

—Abuelita, ¡qué brazos tan grandes tienes!

—¡Son para abrazarte mejor!

—Abuelita, ¡y qué bocaza tan grande tienes!

—¡Bueno, niño malcriado! ¿Has venido a visitarme o a criticarme?

Una vez Pepito estaba en la escuela, y el profesor le dice:

A ver Pepito, dime el nombre de un descubridor.

Pepito le contesta:

—Usted, profesor.

—¿Por qué yo? —pregunta el profesor.

—Porque cada vez que usted pregunta algo, descubre que no sabemos nada.

Está la fiesta en su apogeo. En eso llega Pepito y se acerca a una chica, y le pregunta:

—¿Vas a bailar?

La chica con gran entusiasmo le responde:

—¡Sí!

Entonces Pepito le dice:

—¿Me prestas tu silla?

Primer acto: Un queso en medio de la vía.

Segundo acto: Una mantequilla en medio de la vía.

Tercer acto: Un yogur en medio de la vía.

¿Cómo se llama la obra?

La vía láctea.

Pepito le pregunta a su maestra:

—Maestra, ¿me castigaría usted por algo que yo no hice?

—No Pepito, nunca lo haría.

—Qué bueno, porque no hice mi tarea.

Un día Pepito fue a la escuela, y la maestra pidió a los alumnos que para el día siguiente trajeran alguna cosa para donar a la Cruz Roja. La maestra le pregunta a Pepito:

—¿Qué has traído? Pepito respondió:

—Un tanque de oxígeno. Y ella vuelve a preguntar:

—¿Quién te lo dio?

—Mi abuelito —respondió él. —¿Y qué te dijo, Pepito?

—¡No te lo lleves, no te lo lleves!

Están Pepito y su papá en la sala. El papá está leyendo el periódico y Pepito haciendo su tarea de historia. Entonces Pepito le pregunta:

—Oye papá, ¿quién le ganó a los filisteos? Y el papá distraído le dice:

—No sé hijo, ya sabes que no me gusta el futbol.

Pepito le pregunta a su mamá:

—Mamá, ¿mi abuelita es bruja? A lo que la mamá responde:

—No, Pepito. ¿Por qué la pregunta?

—Es que juntó los cables de la lámpara de la sala y salió volando por la ventana.

Estaba Pepito en un árbol robando manzanas, cuando el dueño del manzano lo vio y le dijo:

—¡Espera a que hable con tu papá!

Y Pepito mirando hacia arriba dijo:

—¡Papá, abajo hay un señor que te necesita!

Pepito en bicicleta:

Pepito que va en su bicicleta, y le dice a su madre:

—¡Mamá, mamá!, sin manos —soltando el volante.

—¡Mamá, mamá!, sin piernas —separando los pies de los pedales.

En eso se cae de cara, se levanta y dice:

—¡Mamá, mamá!, sin dientes.

Primer acto: Sale un señor vendiendo tortas.

Segundo acto: Sale el mismo señor vendiendo tortas.

Tercer acto: Sale el mismo señor vendiendo hamburguesas.

¿Cómo se llamó la obra?

El extortista.

Pepito estaba con su mejor amiga, mira el calendario y dice:

—Hace 15 días que mi tío descansa en paz.

Al oír esto, la amiga le dice:

—Oye Pepito, ¿por qué no me dijiste que falleció tu tío?

Y Pepito contesta:

—¡Cómo crees, si la que murió fue mi tía!

Amanece, se levanta Pepito y le dice a su papá:

—¡Papá, papá!, hoy amanecí con ganas de trabajar.

El papá le responde:

—¿Y qué vas a hacer?

—Acostarme para que se me quiten las ganas.

¿Por qué los argentinos no usan paracaídas?

Porque de todas maneras siempre caen mal.

Primer acto: Lito tiene 40° de fiebre.
Segundo acto: Lito tiene 39° de fiebre.
Tercer acto: Lito tiene 37° de fiebre.
¿Cómo se llama la obra?
Mejora-Lito.

Un hombre va a un bar, y dice con voz seria y enfadado:

—Deme una cerveza, o si no...

Y el camarero asustado le interrumpe:

—Vale, vale, aquí la tiene.

Después llega Pepito, y le dice:

—¿Me puede poner una Coca-cola?

—¡No! —responde el camarero.

Al día siguiente llega otra vez el hombre del día anterior, y le vuelve a decir:

—Deme una cerveza, o si no...

Y el camarero le vuelve a decir asustado:

—Vale, vale, aquí la tiene.

Después vuelve a llegar Pepito, y de nuevo no le da la Coca-cola cuando la pide.

Al otro día vuelve a llegar el hombre, y le repite lo mismo. El camarero asustado se la pone corriendo. Después llega Pepito, y le dice con una voz suave y un poco trémula:

—Deme una Coca-cola o si no... El camarero le interrumpe y dice:

—O si no, ¿qué?

Y el niño asustado le dice:

—O si no, una Pepsi.

La maestra le pregunta a Paquito:

—¿Por qué llegas tarde?

—¡Uuu! maestra, es que venía en mi caballo y que se sienta, y ya no se quiso parar.

—Bueno. Y tú Rafaelito, ¿por qué llegas tarde?

—Ay maestra, es que venía en mi caballo y que se sienta, y ya no se quiso parar.

—Bien. Y tú Pepito, ¿por qué llegas tarde? ¡Tú no tienes caballo!

—Ay maestra, pues con tanto caballo sentado no podía pasar.

¿Cuál es el animal al que hay que divertirlo para que no cambie de sexo?

El burro, para que no "se-aburra".

Va Pepito con el doctor y le dice:

—La verdad no entiendo doctor: si me toco la cabeza, me duele, si me toco la nariz, me duele, si me toco el estómago, me duele. ¿Qué tengo?

Dice el doctor:

—¡Ya sé! Tienes fracturado el dedo.

Primer acto: Óscar Pérez roba un banco y se entrega.

Segundo acto: Óscar González roba una joyería y se entrega.

Tercer acto: Óscar López roba una joyería y se entrega.

¿Cómo se llama la obra?

La entrega de los Óscares.

La maestra le dice a Pepito:

—A ver Pepito, si yo digo: fui millonaria, es pasado; pero si yo digo: soy tan hermosa, ¿qué es?

—¡Exceso de imaginación, maestra!

Extrañada de que su hijo regresara tan temprano de la escuela, la mamá de Pepito le pregunta:

—¿Por qué llegaste tan temprano de la escuela, hijo?

—Es que fui el único que pude contestar una pregunta.

—¡Muy bien, Pepito! ¡Eres un niño tan estudioso! ¿Y cuál fue la pregunta?

—¿Quién le tiró el borrador al director?

Pepito llega feliz de la escuela, y le dice a su mamá:

—¡Mamá, mamá!, ¡aprendí a escribir! La mamá le dice:

—¿Y qué escribiste? Pepito contesta:

—Cómo voy a saberlo, si todavía no he aprendido a leer.

En alguna ocasión Pepito soñaba con ser murciélago y estaba hambriento (de sangre). Tenía mucho tiempo sin comer. De repente llega otro murciélago con la boca bañada en sangre, y los otros murciélagos se quedan asombrados y "Pepito murciélago" le pregunta:

—Oye, ¿dónde conseguiste tanta sangre? Y el murciélago le responde:

—¿Ven esa pared que esta allá? Y los murciélagos responden:

—¡Sí!

—Bueno, pues yo no la vi.

Pepito llega a la paletería, y le pregunta al dependiente:

—Señor, ¿tiene paletas de coco?

—Sí.

—Ay, qué miedo...

Pepito va platicando con su amiguito Betito y los dos llegan tarde a la escuela.

La maestra le pregunta a Betito:

—Betito, a ver dígame: ¿por qué llegó tarde a la escuela?

—Mire maestra, es que tuve un sueño muy raro. Soñé que estaba piloteando un avión y me la pasé todo el día volando y parte de la mañana, por eso llegué tarde.

—A ver. ¿Y tú Pepito?

—Maestra, yo me quedé en el aeropuerto todo el día esperándolo y nunca llegó.

Suena el teléfono y Pepito contesta:

—¿Bueno?

—¿Se encuentra tu papá Pepito?

—Está ocupado —responde Pepito en susurros.

—¿Está tu mamá Pepito?

—Está ocupada —responde Pepito en susurros.

—¿Está tu hermano mayor, Pepito?

—Está ocupado, responde Pepito en susurros.

—¡Caray!, ¿pues, qué están haciendo? Entonces, Pepito responde en susurros:

—Me están buscando.

Una vez llega Pepito con su mamá y le dice:

—¡Mamá, mamá, eres una mentirosa! La mamá le pregunta:

—¿Por qué dices eso Pepito?

—Porque me dijiste que mi hermanito era un angelito.

La madre dice:

—Sí Pepito, tu hermanito es un angelito. Pepito dice:

—¡No, no es cierto!

Entonces la madre le pregunta por qué, y él le dice:

—Porque lo tiré por la ventana y no voló.

Una abuela le da al mayor de sus dos nietos seis pesos, y le dice:

—Pepito, dale la mitad a tu hermano pequeño.

Éste, sólo le da 50 centavos y su abuela le dice:

—¿Pero es que no sabes que la mitad de seis es tres?

Y Pepito contesta:

—Yo sí, pero mi hermano, no.

Iba Pepito por el bosque jugueteando alegremente, cuando de repente cayó la noche... y lo aplastó como un tomate...

¿Cuál es el animal que después de muerto sigue dando vueltas?

El pollo..., pero el pollo rostizado.

Pepito y su maestra conversan en clase:

—Pepito, Pepito, ¿qué vas a ser cuando seas grande?

—¿Yo maestra? Cuando sea grande seré Pepe.

Está Pepito en su casa, y su mamá lo manda a comprar unas tortillas. Cuando va camino a la tortillería se encuentra con un desfile de modas, corre a su casa y le dice a su mamá:

—¡Mamá, mamá!, acabo de ver un desfile de modas; y estaba Miss Venezuela y era linda, y estaba Miss Puerto Rico y era linda, y Miss Guatemala era hermosa.

Y le dice su mamá:

—¿Y mis tortillas? —¡Ésa no la vi!

¿Por qué los gallegos echan VICKs en la calle? *Para descongestionar las calles.*

Primer acto: Sale una cucaracha.

Segundo acto: Sale una máscara.

Tercer acto: Sale un títere.

¿Cómo se llama la obra?

Cúcara, Mácara, Títere fue.

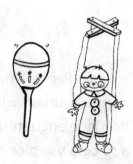

En una juguetería, Pepito escoge un peluche de canguro. Va a la caja y le entrega un billete del Banco de la Ilusión a la cajera. Ésta le dice amablemente:

—Amor, esto no es dinero de verdad. Y Pepito le contesta:

—Este tampoco es un canguro de verdad.

Estaba Pepito sentado en una banqueta, y pasa un señor que gritaba:

—¡Abono pa' las plantas! ¡Lleve su abono! Y en eso Pepito se levanta y le pregunta:

—¿Para qué se usa?

Y el señor le dice:

—Pues allá en mi pueblo es pa' las fresas. Y Pepito le dice:

—Pues qué raro ha de ser su pueblo, porque aquí las fresas se comen con crema.

Le dice la profesora a Pepito:

—Pepito, dime una palabra que tenga la "m".

Y Pepito le dice: Sartén.

La profesora le pregunta:

—Pepito, ¿dónde lleva sartén la "m"? Y le dice Pepito:

—¡En el mango!

Era una vez un señor que llamó a una casa, y le contestó Pepito.

—¿Bueno?

—¿Bueno? ¿Se encuentra tu mamá?

—No, mi mamá no se encuentra.

—¿Y tu papá?

—¡Tampoco!

—¿Con quién estás?

—Con mi hermano.

—¡Pásamelo!

Pasados unos minutos Pepito vuelve a tomar el teléfono.

—¿Bueno?

—¿Qué pasó?

—Es que mi hermano no puede hablar con usted.

—¿Por qué?

—¡Porque no lo pude sacar de la cuna!

Un día Pepito le dice a su papá:

—Papá, dame un vaso con agua.

El papá se lo da, y al poco rato regresa y le pide otro, y el padre contesta:

—Pero cómo, si ya te he dado cinco. Y Pepito le contesta:

—¡Es que se está quemando mi cuarto!

Estaba un técnico reparando un radio, y llega Pepito y le dice:

—Disculpe señor, ¿usted no es el técnico que repara teléfonos?

—No niño, yo soy el técnico que repara radios.

—Pero, ¿está seguro que usted no repara teléfonos también?

—¡No niño, yo sólo reparo radios!

—¿Está seguro?, porque a mí me dijeron que usted repara teléfonos.

Entonces el técnico ya molesto por la preguntadera, le responde:

—¡Bah, está bien! ¡Yo soy el técnico que repara teléfonos!

—¡Ah! y entonces, ¿qué está haciendo con ese radio?

Pepito llega a casa, y su madre le pregunta:

—¿Qué tal, Pepito? ¿Qué has aprendido hoy en el colegio?

—No mucho, tengo que volver mañana.

La maestra le pregunta a Pablito:

A ver Pablito, dime en qué tiempo está esta oración "Me estoy casando".

A lo que Pablito responde:

—Maestra, en tiempo presente.

—Muy bien Pablito.

—Dime Pepito, en qué tiempo está esta oración "Estoy buscando novio".

A lo que Pepito responde:

—Maestra, es tiempo perdido.

Pepito le pregunta a su papá:

—Papá, ¿cómo se llaman los animales que comen hierbas?

El papá responde:

—Herbívoros.

Pepito vuelve a preguntar:

—Aaaah. ¿Y los que comen carne?

El papá responde:

—Carnívoros.

Pepito otra vez pregunta:

—¿Y los que comen de todo?

Y su papá le responde:

—Los ricos, Pepito.

Pepito llama a oficial de policía:

Oficial, mi papá se está peleando con un tipo.

—¿Dónde?

—A la vuelta de la esquina.

Doblan la esquina, y efectivamente dos tipos se están pegando. El oficial le pregunta a Pepito:

—Rápido, Pepito, dime: ¿quién es tu papá?

—En eso andan, oficial, por eso es la pelea.

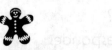

Le dice la profesora a Pepito:

—Pepito, dime todas las formas verbales del verbo nadar.

Y Pepito dice gritando:

—Yo nado!, ¡tú nadas!... Y la profesora le dice:

—Más bajito, Pepito.

Y Pepito dice:

—Yo buceo, tú buceas...

Primer acto: Una gorda con un cuchillo.

Segundo acto: La misma gorda con un arma.

Tercer acto: Otra vez la gorda con un rifle.

¿Cómo se llama la obra?

Se armó la gorda.

Pepito está en una clase de física sobre la sublimación.

—A ver, ¿alguno de ustedes me puede decir una sustancia que pase directamente del estado sólido al estado gaseoso sin pasar por el estado líquido?

Pepito levanta la mano, y grita:

—¡Los frijoles!

Estaba Pepito viendo la tele, cuando su mamá le grita:

—¡Oye Pepito! ¿Quién tomó del refrigerador el pastel que iba a compartir en la tarde con mis amigas?

Pepito dice:

—Yo mamá, se lo di a un niño que estaba hambriento.

La mamá le dice:

—Ay, qué lindo es mi hijo. ¿Y quién era ese niño hijito?

Pepito dice:

—¡Pues yo mamá!

Primer acto: Aparece una isla desierta, y en medio de ésta un sobrecito para hacer té.

Segundo acto: Aparece la misma isla con el mismo sobrecito de té.

Tercer acto: Aparece la misma isla con el mismo sobrecito de té.

¿Cómo se llamó la obra?

La isla del te-solo.

Estaba Pepito en el colegio, y le dice a la maestra:

—Maestra, ¿la puedo saludar de beso? Y la maestra le responde:

—Por supuesto que sí, ya veo que quieres mejorar tus modales.

Pepito le dice:

—No, es que tengo gripe, y se la quiero contagiar.

Están en el colegio Pepito y sus amigos, todos en la misma aula, y llega el profesor de arte diciendo:

—Alguien dígame cómo se hace el verde.

—Muy fácil —responde Susana—, mezclando el azul con el amarillo.

—Muy bien —responde el profesor, al mismo tiempo que pregunta a Juanito:

—A ver Juanito, ¿cómo se hace el púrpura?

—Fácil profesor, mezclando el rojo y el azul.

—Bien —responde el profesor.

—Bueno, la campana suena en unos minutos, así que veamos Pepito:

—Dime, ¿cómo se hace el café?

—Muy fácil profesor, con leche y azúcar al gusto.

Llega Pepito a la escuela, y la maestra le dice:

—¡Felicitaciones Pepito, felicitaciones!

—Pepito le pregunta a la maestra:

—Maestra, ¿por qué me felicita si hoy no es mi cumpleaños?

La maestra le dice:

—Es que tú eres el primero en llegar al colegio.

—Ah, es que mi tío es futbolista profesional.

—¿Qué tiene que ver eso con que tú llegues temprano a la escuela? —le pregunta la maestra.

—Es que él me trae a patadas.

Llega Pepito con su papá, y le dice:

—Papi, mis calificaciones.

—¡Qué!, ¿un seis Pepito? ¿Tanto que me esfuerzo trabajando para esto? Esto se merece una golpiza.

—No hay problema, yo te digo dónde vive la profesora.

Le pregunta la profesora a Pepito:

—A ver Pepito, ¿qué es un caníbal?

—No sé profesora.

—A ver, si te comes a tus padres, ¿qué eres?

—Huérfano, maestra, huérfano.

Pepito da el siguiente boletín oficial del alumno:

- El alumno siempre tiene la razón, pero nunca se la dan.
- El alumno no copia, contrasta resultados.
- El alumno no saca acordeones, recuerda el tema.
- El alumno no duerme en clase, reflexiona.

- El alumno no habla en clase, intercambia impresiones.
- El alumno no mastica chicle, fortalece sus encías.
- El alumno no lee revistas en clase, se informa.
- El alumno no pinta en las mesas, practica expresión artística.
- El alumno no llega tarde a clase, los demás se adelantan.
- El alumno no se cansa en gimnasia, guarda fuerzas.
- El alumno no se distrae, examina los tubos fluorescentes.
- El alumno no se retrasa, lo retienen.
- El alumno no tira gises, estudia la ley de la gravedad.
- El alumno no tira papeles al suelo, se le caen.
- El alumno no corre por los pasillos, hace pruebas de velocidad.
- El alumno si ve a alguien que descansa, lo ayuda.
- El alumno cuando tiene ganas de trabajar, se sienta y espera a que se le pase.
- El alumno no destroza el colegio, le da un toque modernista.

En un autobús dirigiéndose hacia Acapulco se encontraba Pepito y su mamá, a la que le pregunta:

—Oye mami, ¿cómo se llama el pueblito que pasamos?

—No lo sé hijo. Pasa media hora y le vuelve a preguntar:

—Mami, ¿cómo se llama el pueblo que pasamos hace media hora?

—Que no lo sé, hijo.

Pasados veinte minutos más le hace la misma pregunta, y la mamá responde:

—Que no sé, ya te dije. ¿Por qué tanta insistencia?

A lo que responde Pepito:

—Es que quiero saber cómo se llama el lugar donde se quedó mi hermanito.

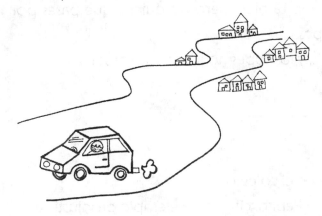

Cuando llega al colegio, Pepito le dice a la profesora:

—Oiga profesora... ¡Me estoy leyendo un libro de Anónimo!

Y la profesora:

—¿Cómo que de anónimo, si ése no es nadie?

Y Pepito le replica:

—Pero ha escrito muchos libros.

Una vez Pepito le decía a su mamá:

—¡Mamá, mamá!, ¿me prestas el carro para ir a la fiesta de la escuela?

Y le dice su mamá:

—Está bien, pero no quiero que pases por los topes.

...y los topes no fueron a la fiesta.

En el colegio:

—Pepito, cítame un ejemplo de injusticia.

—Sócrates por decir "Sólo sé que no sé nada" pasó a la posteridad; en cambio yo le dije a usted eso mismo el año pasado, y me tocó repetir curso.

En una clase la profesora manda a los alumnos escribir una carta como si fueran el presidente. Todos se ponen a escribir, excepto Pepito. La profesora le pregunta:

—Pepito, ¿por qué no estás escribiendo la carta?

—Porque estoy esperando a mi secretaria.

Primer acto: Sale Popeye con un bat (de baseball) en la mano.

Segundo acto: Sale Popeye con el mismo bat en la mano.

Tercer acto: Sale Popeye con las manos vacías.

¿Cómo se llama la obra?

Sinbat el marino.

Estaba Pepito y su primo, cada uno con un trompo; y Pepito le dice a su primo:

—A ver, baila el trompo.

Su primo contesta:

—No sabo.

El otro le dice:

—No se dice "no sabo", se dice "no sepo". En ese momento una señora estaba escuchando la conversación de los niños, y les dice:

—No se dice "no sabo" ni "no sepo". Los niños le preguntan:

—Entonces, ¿cómo se dice?

La señora les contesta:

—No sé.

Y los niños le dicen:

—Entonces, ¿por qué se mete en lo que no le importa?

Primer acto: Juan Díaz cae del noveno piso.

Segundo acto: Pedro Díaz cae del noveno piso.

Tercer acto: Roberto Díaz cae del noveno piso.

¿Cómo se llama la obra?

Los Díaz pasan volando.

Un día Pepito se enfermó, entonces su mamá le dijo que se quedara en cama, mientras tanto hablaría al doctor para que lo fuera a ver. En lo que llegaba éste, su mamá le dio el libro de Adán y Eva para que lo leyera. Después de un rato llega el doctor, y le pregunta a Pepito:

—¿Dónde te duele Pepito?

Y señalando las costillas le dice:

—¡Ay doctor!, aquí me duele mucho, creo que voy a tener una esposa.

Pepito le dice a su papá:

—¡Papá, papá!, vinieron a preguntar si aquí vendían un burro.

—¿Y qué les dijiste, hijo?

—Que no estabas.

Pepito va caminando con su papá por la calle, y le dice:

—Sabes papá, la perrita de un amigo tuvo la semana pasada cinco cachorritos.

—¡Qué bien!

—¡Y esta semana tuvo tres!

—¡Eso no puede ser!

—¡Yo mismo lo vi papá!

—¡Te digo que es imposible, Pepito!

—¡Pero claro papá, si regaló dos!

Le pregunta la profesora a Pepito:

—¿Con qué mató David a Goliat?

—Con una moto.

—¿Seguro Pepito? Recapacita: ¿seguro que no fue con una honda?

—¡Ah!, ¿había que decir también la marca?

Pepito llega a la casa después de su último día de clases, y le dice a su papá:

—Papá, ¿te acuerdas que a principio de año me dijiste que me pagarías 10 mil pesos si pasaba el año?

El papá le responde:

—Sí, hijito, ¿por qué? No me digas que... Pepito lo interrumpe y le dice:

—¡Sí papá! ¡Te ahorré ese gasto!

La madre le pregunta a Pepito:

—Y dime, Pepito, ¿qué has visto en el campo?

—He visto a un señor haciendo caballos.

—¿Qué dices?

—¡Que sí! Tenía uno ya casi terminado, y le estaba clavando fierros en las patas.

Pepito, que tenía cinco años, estaba con su mamá en la parada del autobús. Ésta lo previene diciéndole:

—Cuando nos subamos al autobús le dices al conductor que tienes cuatro años, para que no te cobre pasaje.

Entonces se suben al autobús, y le dice el conductor al niño:

—¿Cuántos años tienes? Y le dice Pepito:

—Cuatro.

Y el conductor le dice:

—¿Y cuándo cumples los cinco años? Y Pepito responde:

—¡Cuando me baje del autobús!

La mamá de Pepito le dice:

—¡Pepito, aléjate de la jaula del león!

—No te preocupes mamá, no le voy a hacer nada.

Pepito le dice a su abuelita: Abuelita, abuelita cierre los ojos. A lo que le contesta la abuela:

—Pero mijo, ¿por qué me pides esto?

—Porque mi papá dijo que cuando usted cierre los ojos, todos seremos felices.

El profesor le entrega a Pepito una pata de pájaro, y le dice:

—Viendo esta extremidad, dígame la familia, el género y la especie del animal, así como sus costumbres migratorias y el número de crías por nidada.

—Pero, ¿cómo le voy a decir todo eso con una sola pata?

—¡Está usted suspendido!

—A ver, dígame su nombre y apellido. Pepito se quita un zapato, el calcetín, y le enseña el pie desnudo al profesor, y dice:

—Adivine...

¿Qué es lo primero que da la vaca cuando sale el sol?
Sombra.

El profesor le dice a Pepito:
—A ver Pepito, ¿qué te pasa si te corto una oreja?
Y le dice Pepito:
—Me quedo medio sordo.
—¿Y qué pasa si te corto la otra oreja?
—Me quedo ciego.
Y el profesor asustado le dice a Pepito:
—¿Por qué?
Y contesta Pepito:
—Porque se me caerían los lentes.

¿Qué hace '99 tac, 99 tac, 99 tac...'?
Un ciempiés con una pata de palo.

Llaman a la puerta, y sale Pepito a contestar. Cuando ve al cartero le dice:

—Lo sé todo...

Entonces el cartero, con lágrimas en los ojos, abre los brazos diciendo:

—¡Hijo mío!

Una vez Pepito llega a clases, y la maestra le pregunta:

—Pepito, ¿por qué no hiciste la tarea? Y Pepito le responde:

—Profesora, es que usted mandó la tarea para la casa, y yo vivo en departamento.

¿Cuál es el colmo de Pepito?

Que después de tantos años de vida y existencia, le sigan diciendo Pepito en vez de decirle don José.

Estaba Pepito jugando a la pelota, y se le cayó un diente, y le preguntó a su madre:

—¡Mamá, mamá!, se me cayó un diente, ¿qué hago?

Y en esto la madre le contesta:

—Déjalo debajo de tu almohada, y el ratón Miguelito te dará algo.

El niño así lo hizo, y al día siguiente su mamá le preguntó:

—¿Y qué te trajo el ratoncito? Y Pepito le responde:

—Nada. Me dejó un papelito que decía: "Sigue participando".

Primer acto: Un pelo está en la cama.

Segundo acto: El pelo sigue en la cama.

Tercer acto: El pelo está todavía en la cama.

¿Cómo se llama la obra?

El vello durmiente.

Entra Pepito llorando a la escuela, y le dice a la profesora:

—¡Me robaron profesora, me robaron! Y la profesora le dice:

—¿Qué te robaron Pepito? Y él responde:

—¡La tarea profesora!

Primer acto: Aparece un hombre limpiando una o.

Segundo acto: Aparece el mismo hombre limpiando otra o.

Tercer acto: Aparece el mismo hombre limpiando otra o.

¿Cómo se llama la obra?

Las o-limpiadas.

Una señora le pregunta a un niño: —Oye niño, ¿cómo te llamas?

A lo que éste le contesta:

—Uy señora, ya ni sé.

—Pero, ¿por qué me dices eso niño? —dice la señora.

Y el niño le dice:

—Pues verá: en mi casa mi papá me dice José, mi mamá Pepito, mis hermanos Pepino, y mis tíos Pepis, y cuando estornudo todos me dicen ¡Jesús! Así que ya no sé ni cómo me llamo.

Sube el telón, y aparece un hipopótamo pequeño.

Baja el telón.

Vuelve a subir, y aparece un hipopótamo mediano.

Baja el telón.

Vuelve a subir, y aparece un hipopótamo grande.

¿Cómo se llama la obra?

Hipo-cresía.

Un día Pepito se estaba bañando, y le dice a su mamá:

—Mamá ya se acabó mi shampoo. Su mamá le dice:

—No importa, usa el mío. Y él le contesta:

—No puedo.

Luego su mamá le vuelve a preguntar:

—¿Por qué no puedes?

Y él le dice:

—Porque éste es para pelo reseco, y yo ya me lo mojé.

Pepito es un niño muy mal educado e insolente, que le pregunta a un policía.

—Señor policía, ¿me puede decir la hora? El policía dice:

—Faltan 10 minutos para las 11. Pepito dice:

—Entonces a las 11 me limpia los zapatos. Luego el niño se escapa, y el policía todo enfurecido va tras de él. Al llegar a una esquina pierde de vista al niño, y justo allí se encontraba un borracho, al que le pregunta:

—Señor, ¿vio pasar corriendo a un niño? Le contesta el borracho:

—Primero dígame por qué lo seguía. El policía dice:

—El niño me preguntó por la hora, yo le dije que faltaban 10 minutos para las 11, y el muy insolente me dijo que a las 11 le limpiara los zapatos.

El borracho le contesta:

—Entonces, señor policía, ¿qué apuro tiene usted si todavía faltan cinco minutos?

Está Pepito en la escuela, y le pregunta la profesora:

—A ver Pepito, dime una palabra que tenga cinco "íes".

Y Pepito le responde:

—Pero profesora, eso es dificilísimo.

—Muy bien Pepito, muy bien.

Era un día en la escuela, y la profesora pregunta:

—A ver tú Jaimito, dime una palabra con muchas "oes", y Jaimito dice:

—Goloso.

La profesora dice:

—Muy bien. A ver tú Pepito, dime una palabra con muchas "oes".

Y Pepito dice:

—¡Goooooooooooooooooooooooooooool!

El dentista le dice a Pepito:

—¿Podrías ayudarme? Tienes que gritar lo más fuerte posible simulando dolor.

Pepito:

—¿Por qué doctor?, ¿eso no es malo para usted?

Dentista:

—Es que hay mucha gente en la sala de espera, y no quiero perderme el partido de tenis de las siete.

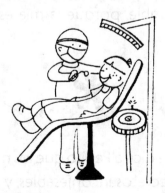

Primer acto: Cama de madera 50,000 pesos.

Segundo acto: Cama de aluminio 100,000 pesos.

Tercer acto: Cama de hierro 200,000 pesos.

¿Cómo se llama la obra?

La más-cara de hierro.

Iba Pepito paseando por la calle con un tarro de mermelada en la mano, y se encuentra con un amigo:

—Hola Pepito, ¿me das un poco de mermelada?

—No puedo, porque una mitad es mía y la otra de mi hermano —contesta Pepito.

—Pues dame de la tuya, dice el amigo.

—No es posible, porque la mía es la de abajo, dice Pepito.

Un amigo le dice a Pepito que los mayores siempre guardan secretos inconfesables, y que por tanto es muy fácil sacarles dinero simulando que uno sabe algo.

Pepito decide hacer la prueba con su padre. Se acerca mientras leía el periódico, y le dice al oído:

—Lo sé todo...

El padre se asusta, y le dice rápidamente:

—Bueno Pepito... haz silencio... toma 100 pesos, y no se lo cuentes a nadie.

Contento con su maldad, decide probar con la madre:

—Mamá, acabo de enterarme. Lo sé todo... Asustada la madre le dice:

—Toma Pepito, 300 pesos, y no se lo digas a nadie, por favor.

—Jaimito, ¿tú no rezas antes de comer?

—No. Mi madre es buena cocinera.

Un día la maestra le dijo a Pepito:

A tu edad yo me sabía todos los nombres de los países.

Y Pepito le contesta, con una voz muy insultante:

—Pues en ese tiempo existían dos o tres solamente, maestra.

Va pasando una carroza fúnebre, y Pepito corre detrás llorando y gritando:

—¡Papá, espérame! ¿Por qué te fuiste? ¡Espérame que yo me quiero ir contigo!

Y la gente comentaba:

"Pobre niño, quedó huérfano; qué lástima, pobrecito, qué dolor."

El niño seguía gritando:

—¡Papá, papá, llévame contigo! ¡Papito, no me dejes!

En eso la carroza fúnebre se detiene, y se baja el chofer muy enojado y grita:

—Pepito apúrate y súbete, antes que te dé un golpe.

Había dos niños: Pepito y Pablito. Pepito le pregunta a Pablito:

—¿Sabes cuál es la ciudad que está en el cielo?

Y Pablito responde:

—No, no sé. ¿Cuál es?

—Pues Los Ángeles.

Un día Pepito llega a su casa, y su mamá le pregunta:

—¿Cómo te fue en el colegio? Y Pepito le responde:

—Como en el Polo Norte, todo bajo cero.

Estaba Pepito sentado en una banca y de repente llega Lucy, y le pregunta:

—Pepito, ¿piensas que yo soy linda? Pepito le responde:

—Claro, Lucy. Entonces Lucy dice:

—¿En serio? ¿No lo dices por lástima? Y Pepito le dijo:

—No Lucy, todo el mundo es bonito, sólo que algunos tienen la belleza por dentro, como tú, que la tienes demasiadísimo adentro.

Primer acto: Una cuerda acostada en un sillón.

Segundo acto: Una cuerda acostada en un sofá.

Tercer acto: Una cuerda acostada en una cama.

¿Cómo se llama la obra?

La cuerda floja.

¿Por qué los perros llevan el hueso en el hocico?

Porque no tienen bolsillos.

Pepito va al zoológico con su mamá, y pasan donde están los changos, y comenta:

—Mamá, ¿verdad que se parece mucho a mi papá!

—¡Shh! Pepito, ¿cómo puedes decir una cosa así?

—Pero lo he dicho bajito mamá; además, no creo que el chango me haya escuchado.

¿Por qué los gallegos se sientan atrás en el cine?
Porque dicen que el que ríe al último, ríe mejor.

Viene Pepito con su papá:

—¡Papá, papá, la abuela sabe de mecánica! A lo que el padre le dice:

—¿Por qué lo dices hijo?

—Porque mi abuela está debajo de un carro.

Primer acto: Sale el agua.

Segundo acto: Sale un pato.

Tercer acto: Sale el mar.

¿Cómo se llama la obra?

Agua pa' tomar.

¿Qué dice un ciempiés cuando ve pasar a una ciempiés que es muy linda?

¡Qué lindo par de piernas... qué lindo par de piernas... qué lindo par de piernas... !

Primer acto: Un chavo le da un beso a su novia, y ella dice "guau".

Segundo acto: La chava le da dos besos a su novio, y él dice "guau".

Tercer acto: El chavo le da tres besos a la chava, y ella dice "guau".

¿Cómo se llama la obra?

Amores perros.

Llega Pepito muy preocupado con su mamá, y le dice:

—¡Mamá, mamá!, ¿mi papá es un mago? Y la mamá le contesta:

—No hijo, tu papá es electricista.

Pepito insiste con que su papá es mago. De tanto insistir, su mamá le contesta enojada:

—¡Por qué sigues insistiendo con que tu papá es mago, Pepito?

Y él preocupado le contesta:

—Porque juntó dos cables, salieron chispas, y después desapareció.

Se abre el telón, y se ve a un pastor en lo alto de un cerro con un grupo de llamas, y el perro pastor.

Se cierra el telón.

Se vuelve a abrir el telón, y se ve al pastor con el perro pero sin las llamas.

Se cierra el telón.

Se vuelve a abrir el telón, y se ve ahora al pastor solo, sin perro ni llamas.

Se cierra el telón.

¿Cómo se llama la obra?
El llamero solitario.

Primer acto: El verbo to be viendo TV.
Segundo acto: Otro verbo to be viendo TV.
Tercer acto: Otro verbo to be viendo TV.
¿Cómo se llama la obra?
Los tele-tubies.

En una ocasión a Pepito se le aparece una figura familiar en las puertas de su casa, y le dice:

—¡Soy la muerte, y mañana a la medianoche vendré por ti!

Pepito ni se espanta ni se acongoja, y continúa con su vida normal; sin embargo, al otro día como a las 10 de la mañana comienza a preocuparse.

"Hoy la muerte viene por mí."

Tratando de calmarse y pensando que todo fue un mal sueño, prosigue con sus actividades cotidianas, pero pronto lo asalta nuevamente aquella pre-ocupación, y alrededor de las ocho de la noche se vuelve a angustiar. Después de pensarlo decide:

"¡Me disfrazaré y me iré muy lejos para que la muerte no me reconozca!"

Se corta el pelo a rape, se pone 10 aretes en cada oreja, cuatro en la nariz, se cambia el traje, y se pone un pantalón de mezclilla y una chaqueta de piel. Una vez transformado se mete a la peor canti-na de la ciudad, donde decide pasar la noche.

En punto de las 12 de la noche, para su sorpresa, la muerte entra al lugar donde se encuentra, pasa a su lado pero no lo reconoce. Éste, muy contento, piensa para sí.

"¡Lo logré, lo logré!"

La muerte se la pasa dando vueltas por todos lados impaciente en busca de Pepito, quien en si-lencio se burlaba de ella. Cansada la muerte le dice al cantinero:

—¡Un tequila doble!

"Esta noche Pepito no se cómo le hizo, pero se me escapó; sin embargo, mi trabajo no va a ser en balde. Si dentro de tres minutos no lo encuentro, de perdida me llevo a este maldito pelón."

Llega Pepito, y le dice a su mamá:

—¡Mamá, mamá!, déjame jugar con mi abuelito. ¡Mamá, mamá!, déjame jugar con mi abuelito.

A lo que su mamá responde:

—No Pepito, porque luego dejas todos los huesos tirados.

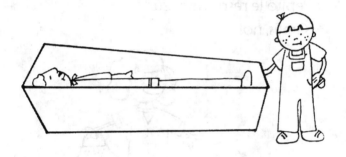

¿Por qué el león es amarillo, grande y peludo?

Porque si fuese chiquito, verde y pelado, sería un sapo.

Estaba una señora con bigotes sentada afuera de su casa, cuando de pronto pasa Pepito, y se le queda viendo lentamente y sin avanzar. Entonces, la señora se molesta, y le dice:

—¿Qué!, ¿nunca has visto una mujer con bigotes?

Y Pepito le responde asustado:

—¡Gratis, no!